시니어를 위한 힐링 컬러링북

나의 살던 고향은

봄 1

꿈꾸는리아 글 그림

프롤로그

6살 되기 전의 시골에서의 어린 시절이
저에게는 더없이 소중한 보물입니다.
서투른 자전거 타기, 언덕길에서의 모험, 냇가에서의 물놀이...
그 시절의 냇가 물은 참으로 맑고 깨끗했습니다.

그렇게 시간이 흘러 우리 가족은 인천으로 이사를 왔고,
그곳에서 나머지 제 유년 시절을 보냈습니다.
그러나 그 짧았던 시골 생활에서의 추억이 항상 그리운 나의 고향입니다.

이 컬러링북은 세상의 모든 부모님들이 기억하는,
옛 고향의 봄을 주제로 하고 있습니다
봄이면 꽃이 피고 새들이 돌아오는 그 시절을 다시 떠올려,
여러분 모두가 가슴 깊은 곳에 간직한 소중한 추억들을 꺼내보시길 바랍니다.
그리고 그 시간 속에서 움트는 새 생명과 함께 희망차고 따뜻한 봄을
다시 한번 느껴보시길 바랍니다

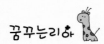

- 목차 -

벚꽃

"아름다운 영혼", "정신적 사랑", "뛰어난 미인", "삶의 아름다움"
"순결", "뛰어난 아름다움"그리고 벚꽃이 만개하는 모습을 통해
번영과 풍요로움을 상징합니다. ❀
벚꽃 아래에서 소중한 추억을 만들어 보세요!

개나리

봄의 시작을 알리는 아름다운 꽃.
희망, 기대, 깊은 정, 달성이라는 꽃말을 가지고 있어요.
개나리를 보며 봄의 따뜻함과 함께 희망과 기대를 가지는
시간이 되셨으면 좋겠어요. ❀

진달래

사랑의 기쁨, 순수함, 그리고 너무 순수해서 오는
외로움을 상징하는 꽃이에요. ✽
이 꽃은 특히 8월 8일의 탄생화로, 사랑의 기쁨을 상징한다고 해요.
진달래를 보며 사랑의 기쁨과 순수한 마음을 느껴보는 것은 어떨까요? ✽

목련

ㄹ 우아함과 고귀함으로 많은 사람들에게 사랑받는 꽃입니다.
특히, 하얀 목련의 꽃말은 '순결한 사랑', '고귀함' ㄹ리고
'자연에 대한 사랑' 등으로 알려져 있어요.✿

튤립

그 아름다운 색과 향기로 전 세계 많은 사람들에게 사랑받는 꽃입니다.
특히 네덜란드를 상징하는 꽃으로도 잘 알려져 있죠.
튤립의 꽃말은 색깔에 따라 다양한 의미를 가지고 있고,
빨간색 튤립의 꽃말은 영원한 사랑의 고백이예요.

라일락

아름다운 색과 향기로 많은 사람들의 사랑을 받고 있어요.
라일락의 꽃말은 색상에 따라 다양한 의미를 가지고 있으며,
첫사랑, 젊은 시절의 추억, 우정 등을 상징합니다. 🌸
특히 친구에게 주기 좋은 꽃으로, 우정과 사랑의 메시지를
전달하기에 아주 적합해요. 🎁

펜지

사랑하는 사람에게 자신을 잊지 말아달라는 바램과 사색,
쾌활한 마음, 사랑의 추억을 의미합니다.
펜지 꽃이 가진 밝고 긍정적인 에너지로 사랑하는 사람과의
소중한 추억을 나눠보시는건 어떨까요?

딸기

사랑과 관능, 순수함과 고귀함을 상징하는 과일이예요.
고대 로마에서는 약용 목적으로 사용되었으며,
기독교 역사와 순수함과도 연결되어,
성모 마리아의 작품에서 자주 등장합니다.

오렌지나무

탄수화물, 섬유질, 비타민 A, B, C를 포함하며, 칼슘, 칼륨,
마그네슘과 같은 미네랄도 함유하고 있습니다.
특히, 비타민 C가 풍부하여 면역 체계를 강화하고, 피부 건강에 좋으며,
항산화 물질이 많아 여러 질병을 예방하는 데 도움을 줍니다.
이 맛있는 과일로 환절기 건강 잘 챙기세요!

병아리

노란 털옷을 입은 귀여운 병아리!
행여나 엄마를 놓칠까 삐약삐약 울면서 쫓아가요.
급한 마음에 작은 날개로 하늘을 날아봐요.

제비

겨울을 따뜻한 남쪽에서 보낸 후 봄이 시작되는 시기에 맞춰
우리나라를 비롯한 온대 지역으로 돌아옵니다.
사람들과 가까운 곳에서 살아가는 친근한 새이며 길조로 여겨져요.

까치

새알, 올챙이, 작은 물고기 등 동물성 먹이와
쌀, 콩, 감자, 사과, 등 식물성 먹이를 섭취하는
까마귀과 까치속에 속하는 야생 조류예요.
고대부터 우리 민족과 친근한 길조로 여겨져 왔어요.

백로

순수하고 깨끗한 외모로 인해 고려 시대 말기의 대표적인 충신
정몽주의 어머니가 "백로는 까마귀의 둥지에 살지 않는다"
라고 말할 정도로 덕성을 상징하는 새로 여겨졌습니다. 🌾

소

이집트, 메소포타미아, 인도, 중국에서는 농업에 사용되고,
유럽에서는 주로 육류와 우유를 얻기 위해 사용되죠.
전 세계적으로 사육되는 중요한 경제 동물입니다.

양

소과에 속하는 동물로, 양털, 양고기, 양젖, 양기름 등으로
이용되기도 하고, 생물 과학에서 모델 생물로도 사용됩니다.

일반적으로 온순하고 사람을 잘 따르는 특성으로
오랜 시간 동안 인간과 함께 해왔습니다.

오리

온순한 성격으로 인해 많은 사람들에게 사랑받는 동물입니다.
특히 논밭에서 벼 사이를 돌아다니며 잡초나 벌레를 잡아먹어
농사에 도움을 주고, 반려동물로도 인기가 많습니다.

강아지

단순한 반려동물과 주인의 관계를 넘어서, 서로에게 큰 기쁨과 위안을 주며, 깊은 정서적 지지와 행복한 유대감을 형성합니다.

이런 상호 작용은 혈압을 낮추고, 어린이의 알레르기 및 천식 발생 감소에도 도움을 준다고 하네요.

고양이

한 연구에 따르면, 일반적인 생각과 달리
주인에게 강한 애착을 형성한다고 합니다.

이런 상호작용은 인간의 불안, 우울, 내성적 기분을 줄이고
정서적 안정과 신체 건강에 긍정적인 영향을 줍니다.
이제는 단순한 반려동물이 아니라, 우리 삶의 중요한 일부분이 되었죠.

나무와 소년

겨울을 넘어, 소년과 나무는 함께 꿈을 틔웁니다 🌳

봄날, 소녀

어린 소녀의 꿈꾸는 눈빛처럼,
당신의 마음에도 희망이 가득 피어나길 바랍니다!✿

자전거타는 소년

소년의 꿈은 멀리 펼쳐져 끝없는 세상을 향해 달려갑니다.

자전거타는 소녀

소녀는 꿈결 같은 세상 속으로 달려갑니다.
햇살 아래 그림자는 춤추고, 소녀의 웃음소리는 꽃향기로 퍼져요~

책 읽는 여인

따스한 봄 햇살 아래, 그녀의 미소는 꽃들을 화려하게 물들이네.
책장을 넘기는 바람소리는 시간을 멈추고,
그녀의 머릿결을 부드럽게 감싸네.

나의 살던 고향은_ 봄1

발 행 | 2024년 4월 19일
저 자 | 꿈꾸는리아
펴낸이 | 한건희
펴낸곳 | 주식회사 부크크
출판사등록 | 2014.07.15.(제2014-16호)
주 소 | 서울특별시 금천구 가산디지털1로 119
        SK트윈타워 A동 305호
전 화 | 1670-8316
이메일 | INFO@BOOKK.CO.KR
ISBN | 979-11-410-8191-1

WWW.BOOKK.CO.KR